ID0257096

Novélisation : Natacha Godeau
Illustrations : Isabelle Mandrou
Conception graphique du roman : Audrey Thierry.

Hachette Livre, 58, rue Jean Bleuzen, 92178 Vanves Cedex.

Mes Amis les CHEVAUX

La grande compétition

Sophie Thalmann

hachette
JEUNESSE

Zéphyr

Ce pur-sang arabe à la robe « alezan brûlé » est le plus rapide du haras... et il adore s'en vanter ! Sûr de lui, il agace parfois les autres chevaux. Andalou est son principal rival, mais Zéphyr ne s'inquiète pas une seconde : c'est lui le meilleur, et il va le lui prouver !

Féline

Avec sa robe baie aux reflets dorés, cette jument lusitanienne a une apparence féline... D'où son nom ! Têtue, battante et fière, elle ne se laisse pas faire et obtient toujours ce qu'elle veut. Et même si elle a tendance à être très capricieuse, Andalou et Zéphyr ne sont pas insensibles à son charme !

Moustique

Mais quelle mouche a bien pu piquer cet adorable shetland ? Très ambitieux, il déteste qu'on ne le prenne pas au sérieux et il est incapable de tenir en place. Andalou l'a même surnommé « mini-Zéphyr », tant il aime parader !

Andalou

Andalou est le cheval préféré des enfants
et de ses compagnons. Il est aimé et
respecté parce qu'il est réfléchi et très
courageux. Pas étonnant que Moustique
rêve de lui ressembler ! Il aime
passer du temps avec Féline
et est en compétition
avec Zéphyr.

Percheron

Percheron est un cheval de trait. En plus de son travail à la ferme, il adore faire de longues promenades en charrette avec les visiteurs. Bien que très impressionnant, il est doux et amical. C'est le cheval le plus sage, et surtout le plus gentil !

Lulu

La plus vieille jument du haras est une sorte de « cheval de secours » ! Sage et bienveillante, elle aime aussi taquiner les jeunes chevaux, surtout Zéphyr et Féline... Quant à Moustique, c'est son chouchou. D'ailleurs, c'est comme ça qu'elle le surnomme !

Sophie

Elle est toujours là pour s'occuper de ses chevaux et du haras. C'est une cavalière très douée, passionnée, et qui adore monter Féline, sa jument préférée. Lorsqu'elle ne s'occupe pas de ses animaux, elle donne des cours d'équitation aux enfants.

Prologue

Un long van métallique se gare devant la grille du haras. Dans l'enclos principal, de l'autre côté de la cour pavée, Moustique se penche par-dessus la barrière d'un air intéressé.

— On attend de la visite, aujourd'hui ?

— Mais quel curieux, ce poney ! souffle Zéphyr avec agacement.

À côté du pur-sang, Féline proteste :

— Moustique a raison de vouloir se tenir informé. Imagine qu'un célèbre champion de saut d'obstacles vienne passer quelques jours au centre équestre ?

— Et alors ? lance Andalou en s'approchant à son tour de la jument.

— Alors, j'aimerais mieux le savoir pour me faire une petite beauté avant de l'accueillir !

Aussitôt, Zéphyr se moque :

— Tu as entendu,

Moustique ? Tu n'as plus qu'à te faire une beauté, au cas où !

Le poney hennit de rire : il adore les blagues de l'étalon ! Mais Féline, vexée, fronce les naseaux, prête à se fâcher. La vieille Lulu intervient :

— Pas de dispute, les enfants ! Il se trouve que Sophie reçoit en effet un hôte important... Percheron, tu peux leur répéter ce que tu as entendu ?

Le cheval de trait se racle la gorge, puis déclare :

— Victor, le palefrenier, m'attelait à la charrette pour aller ramasser du bois, quand Sophie est venue lui annoncer la visite de Lucas Saint-Aymé.

— Le cavalier olympique médaillé ?

— Oui, Andalou. Il est accompagné de son cheval, Piquant du Rosier, et Sophie a décidé d'organiser une grande compétition en leur honneur.

— Vous voyez ? piaffe Moustique. Je savais bien qu'il se passait quelque chose d'intéressant !

Une grande décision

La matinée n'est pas terminée. Pourtant, Victor a ramené tous les chevaux à l'écurie. Dans son box, Zéphyr piétine. Il est contrarié.

— Ah non, alors ! Je voulais encore galoper dans l'enclos !

— Je te comprends, soupire Féline. Il fait si beau, quel gâchis...

À ces mots, Sophie, la jeune directrice du centre équestre, arrive en souriant. Elle entre dans la première stalle pour chercher Moustique afin de le conduire auprès d'Andalou. Devant le regard surpris du petit poney, Sophie explique avec douceur :

— Je suis sûre que vous vous entendrez bien, tous les deux.

Moustique secoue fort sa crinière ; d'accord, il admire l'étalon... mais pas au point de partager son box, même si c'est le plus grand de l'écurie !

— Rassure-toi, mon joli, c'est provisoire, continue Sophie. Lucas Saint-Aymé, le cavalier professionnel, veut se reposer au haras une semaine. Il est venu avec son pur-sang arabe, Piquant du Rosier. Comme je ne connais pas son caractère, je préfère l'installer seul dans une stalle. Et je compte sur vous tous pour l'accueillir gentiment !

Elle flatte l'encolure d'Andalou au passage. Puis elle ressort du bâtiment. Zéphyr pousse un hennissement amusé.

— Bon courage, Andalou !

— Je ne suis pas aussi insupportable que ça, se renfrogne Moustique.

— Non, tu es bien pire ! rétorque Zéphyr, espiègle.

Il s'interrompt brusquement car Sophie pénètre à nouveau dans l'écurie, suivie cette fois de

Lucas Saint-Aymé. Elle lui montre le box de Piquant du Rosier.

— Parfait, approuve-t-il. J'aimerais juste que vous ajoutiez ces vitamines à sa ration d'avoine.

Il tend un flacon à Sophie qui promet :

— Je m'en occuperai moi-même. À présent, allons aider Victor à faire descendre votre pur-sang du van...

Ils quittent les box et traversent rapidement la cour. Féline ne tient plus en place.

— Mon plus beau rêve se réalise : je vais enfin rencontrer un champion !

— Nous allons tous le rencontrer, souligne Percheron. D'ailleurs, moi, je le vois déjà...

Le cheval de trait surveille l'extérieur, de la fenêtre de sa stalle.

Moustique trépigne d'impatience.

— Il est comment ?

— Très grand et très musclé, décrit Percheron. Il marche avec beaucoup d'élégance. Sa robe est aussi noire que sa crinière. Attention, le voilà !

Les chevaux s'immobilisent. Ils sont impressionnés de recevoir un tel hôte de marque !

— Nom d'une marguerite ! Ce Piquant du Rosier manque de conversation, bougonne tout bas Lulu.

Féline panique.

— Chut, il va t'entendre...

— Tu parles ! Il s'est installé dans le box sans même un bonjour, il s'est couché sur la paille, et au dodo ! Le grand champion nous méprise.

— La grande championne, si cela ne vous gêne pas.

Un silence stupéfait s'abat sur l'écurie. Piquant du Rosier est une jument ! Percheron, recouvrant la voix, bredouille :

— Je suis désolé, quand je vous ai vue de loin, je n'ai pas... Et puis votre nom, Piquant, c'est un peu troublant tout de même…

— Tout cela est ma faute. Je me suis vite faufilée dans la stalle sans me présenter. Je suis vraiment désolée. Je me présente donc, Piquant du Rosier. Je tiens mon nom de l'épouse de mon propriétaire, Lucas Saint-Aymé, qui adore les roses. Il a fait ajouter « Piquant » devant, pour donner plus de caractère à mon nom.

Là-dessus, elle se lève et approche de la paroi qui sépare son box de celui de Lulu. Tous les chevaux tendent le cou pour l'apercevoir. Piquant du Rosier, avec son regard brillant, est d'une beauté à couper le souffle ! Zéphyr s'excuse :

— Pardon pour notre confusion, mais vous êtes si grande...

— Je sais, j'ai l'habitude, lance la championne en battant des cils avec coquetterie. Maintenant, j'ai besoin de me reposer...

Elle fixe Lulu droit dans les yeux avant d'ajouter :

— Ce n'est pas parce que je vous méprise, mais j'ai pris des somnifères pour le voyage. Et j'ai vraiment besoin de dormir encore un peu, si ça ne vous gêne pas.

Elle se recouche sur la paille. Lulu, rouge de honte, n'ose plus rien dire.

L'heure du déjeuner approche. Sophie revient à l'écurie.

— Alors, Piquant du Rosier, tu te fais à ton nouvel environnement ?

La championne piétine comme pour acquiescer. Après son petit somme, elle se sent en pleine forme !

— Super, je vais pouvoir te sortir au paddock ! dit Sophie.

Zéphyr, Andalou et Moustique se mettent à hennir en chœur dans leur box. La jeune femme éclate de rire.

— Mais non, je ne vous oublie pas : vous allez, vous aussi, au paddock. D'ailleurs, Percheron, Lulu et Féline viennent aussi. Aujourd'hui est un jour exceptionnel. J'ai décidé d'organiser une compétition entre élèves le week-end prochain. Et à l'issue du cours d'équitation de cet après-midi, je vais leur demander à chacun de choisir une monture pour s'entraîner pendant la semaine et participer à la compétition !

Sophie ajoute avec un clin d'œil :

— Tout le monde a sa chance. Que le meilleur gagne !

Puis elle va à la sellerie chercher Victor pour qu'il lui donne un coup de main avec les chevaux. Soudain, Lulu s'exclame :

— Je veux participer à la compétition !

Zéphyr s'ébroue, abasourdi.

— Toi ? Mais tu as trop de rhumatismes !

— J'ai pris ma décision, insiste-t-elle.

— Sauf que ce sont les enfants qui choisiront, lui rappelle son ami Percheron.

— Je m'en fiche. J'ai pris ma décision : je participerai à cette compétition !

Tentatives de séduction

Le cours d'équitation va bientôt commencer. Au paddock,
les chevaux harnachés voient
Sophie descendre l'allée avec le
petit groupe d'élèves de la
semaine. Ils sont quatre : deux
garçons et deux filles, en bombe

et bottes de cuir sombre. Sophie les conduit dans l'enclos, prenant soin de ne pas trop approcher des chevaux. Il faut s'apprivoiser peu à peu ! Elle prie alors les enfants de se présenter. Une fillette enjouée au visage criblé de taches de rousseur prend la parole.

— Je m'appelle Lily, j'ai huit ans. Plus tard, je voudrais être éleveuse de pur-sang.

— Noble métier, commente Piquant du Rosier.

La championne n'a jamais assisté à un cours d'équitation. Elle observe tout d'un air

émerveillé. Zéphyr et Andalou se pressent autour d'elle, prêts à répondre aux questions qu'elle pourrait se poser. Féline, un peu jalouse, souffle, mécontente.

— Non mais regarde ça, Moustique : c'est à qui minaudera le plus. Ils sont d'un ridicule !

— Piquant du Rosier a du charme, on ne peut pas leur reprocher de l'avoir remarqué, note Percheron, qui l'écoutait.

À ces mots, la championne se retourne vers lui. Elle lui adresse un immense sourire... et le cheval de trait devient tout benêt à son tour ! Moustique s'impatiente :

— Les élèves se présentent ! On aimerait écouter !

— Le petit chou a raison, appuie la vieille Lulu.

—Je ne suis pas un petit chou. Mais j'ai raison, ça, c'est vrai !

Sophie fait signe à l'autre petite fille, une brune aux cheveux courts. Elle se présente :

— Je suis Clara. J'ai sept ans et demi.

— Moi, c'est Thys, enchaîne un petit garçon timide aux yeux très bleus. J'ai sept ans.

Le plus grand a les cheveux bouclés. Il termine avec assurance :

— Benjamin, neuf ans. Je sais que je deviendrai jockey ou entraîneur.

Sophie hoche la tête.

— Parfait ! Comme vous avez déjà tous fait du poney, vous allez pouvoir participer à la compétition surprise que j'organise le week-end prochain.

Les enfants sont à la fois ravis et inquiets. La jeune cavalière reprend :

— C'est une surprise en l'honneur de Lucas Saint-Aymé qui séjourne à la maison d'hôte du haras. À l'issue de cette

compétition, il y aura un goûter et une remise de prix. D'ici là, vous allez vous entraîner toute la semaine sur la monture de votre choix.

Elle pointe le doigt en direction des chevaux et précise :

— Seule la grande jument noire est hors jeu. Elle est ici pour se reposer.

— Mais comment allons-nous choisir ? interroge Lili.

— En testant chaque cheval, répond Sophie. Aujourd'hui, vous les monterez dix minutes chacun. Et demain, vous me ferez part de votre choix. En selle !

Benjamin, Lily et Clara essaient d'abord respectivement Andalou, Féline et Zéphyr. Sans hésiter, Thys grimpe sur Moustique.

— Je comprends mieux pourquoi nous aussi, on nous a sellés, lance Percheron à Lulu.

— Oui, et je vais leur montrer ce dont je suis capable !

Piquant du Rosier s'étonne :

— Parce que, d'habitude, vous ne participez pas aux cours d'équitation, vous deux ?

— Jamais, répond Percheron.

Aussitôt, Lulu s'indigne :

— Mais si ! Moi, ça m'arrive de temps en temps. En remplacement. J'adore ça !

Le cheval de trait ne dit rien. Tout le monde sait que la jument est désormais à la retraite. Sophie ne l'emploie plus que rarement, ce qui, jusqu'à présent, ne semblait pas la déranger.

Mais depuis l'arrivée de Piquant du Rosier, Lulu semble un peu chamboulée…

— Allez, les enfants ! reprend Lulu en frappant du sabot dans l'herbe. J'ai des fourmis dans les jambes, j'ai hâte de m'entraîner !

Les petits cavaliers s'échangent leur monture. Si Thys rechigne à rester trop longtemps en selle, Lily, Clara et Benjamin s'amusent tellement que Sophie doit reprendre les rênes.

— Ça suffit, vous avez assez testé Féline, Andalou, Zéphyr et Moustique. Il reste Percheron et Lulu !

— Mais on ne gagne pas de compétition avec un cheval de trait, remarque Benjamin.

— Et on ne gagne rien non plus avec des idées toutes faites, rétorque Sophie. Monte Percheron et forge-toi ta propre opinion !

Le garçon obéit.

— Hé ! Percheron peut être très rapide, en effet !

Ses amis l'imitent ensuite. Lulu, qui n'arrête pas de passer et repasser devant eux en tenant ses oreilles bien dressées, l'allure fière, bougonne :

— Mais qu'est-ce qu'ils attendent ? L'heure tourne, et le cours va se terminer !

— Ils ont du mal à croire que tu puisses supporter le poids d'un cavalier, lance Zéphyr. Tes tentatives de séduction n'y changeront rien, ma pauvre Lulu !

La vieille jument ignore les propos désagréables de Zéphyr. Elle se met à trotter dans l'enclos, agitant majestueusement sa crinière dans le vent. Soudain, Sophie s'écrie :

— Je veux que vous montiez aussi Lulu, les enfants !

Clara éclate de rire.

— Ce n'est pas la peine. Personne ne la choisira, vu son âge !

Lulu s'immobilise brutalement, les naseaux tressaillant

de colère. Comment ?! On met en doute ses capacités ? Et voici qu'elle part au triple galop tout autour du paddock !

— Faites ce que je vous dis ! insiste Sophie.

Les enfants grimpent alors tour à tour sur le dos de la vieille jument, déjà tout essoufflée par sa petite démonstration.

À la fin, elle rejoint les autres et prétend, hors d'haleine :

— Ça va... C'est juste une allergie... aux pollens...

L'entraînement secret

Les chevaux sont de retour
dans leur box. Sophie et Victor
les ont pansés, bouchonnés,
étrillés. Plus un grain de pous-
sière ne se cache dans leur
robe ! Féline soupire de conten-
tement.

— Ce massage des jarrets était divin !

— Ouf, tu as retrouvé ta bonne humeur ! lance Moustique.

Il n'en faut pas plus pour que le caractère de la jument s'assombrisse de nouveau.

— Je ne vois pas de quoi tu parles.

— Mais si : tu étais si déçue, quand on a découvert que Piquant du Rosier était une belle jument que tu t'es mise à bouder !

Féline lève le nez d'un air offusqué. Andalou gronde :

— Arrête, Moustique. Même si Piquant du Rosier est dans la cour, tu ne dois pas dire des choses pareilles.

La championne entre à cet instant dans l'écurie. Sa robe noire lustrée est étincelante ! Son cavalier vient de la doucher à l'eau tiède. Il la conduit à présent dans sa stalle, puis il quitte le bâtiment en repoussant doucement la porte derrière lui.

— Rien de tel qu'une bonne douche contre les articulations douloureuses ! s'exclame Piquant du Rosier.

Percheron approuve.

— C'est ce que je disais à Lulu.

— Merci, mais je n'en ai pas besoin, grommelle cette dernière depuis le fond de son box.

Zéphyr ne peut pas s'empêcher de la taquiner :

— Bien sûr, tu ne souffres pas

de rhumatismes. Et tu ne manques pas de souffle non plus : tu es juste allergique.

— Exactement. Je suis allergique à ton sens de l'humour !

Piquant du Rosier hennit joyeusement.

— Bravo, Lulu, ne te laisse pas faire !

Interloquée, la vieille jument la regarde par-dessus la palissade. Elle qui pensait que la championne la méprisait !

— Oui, défends-toi ! renchérit Féline.

Cette fois, Lulu rosit de bonheur. Vive la solidarité entre

juments ! Elle retrouve brusquement tout son courage et lance :

— Vous savez quoi, les garçons ? Je vous parie quatre pommes croquantes que je réussirai à participer à la grande compétition !

Tout le monde dort au haras. Tout le monde... sauf Lulu ! Sans bruit, la vieille jument soulève du bout de ses naseaux

le loquet de son box. Elle se faufile jusqu'à la porte de l'écurie, qu'elle ouvre d'un léger coup de tête, et sort dans la cour, prenant soin de marcher en silence, sur la pointe des sabots. Les rayons de la pleine lune éclairent son chemin. Elle parvient sans encombre au rond de détente. Là, elle piétine l'herbe humide et songe : *Attention à ne pas glisser !*

Puis elle s'élance au galop dans l'enclos : la vieille jument a décidé de s'entraîner secrètement ! Elle court, ralentit, trottine afin de reprendre son souffle, repart au trot, accélère au triple galop... Elle serre les dents pour oublier ses rhuma-tismes. Elle tente même de fran-chir un obstacle en sautant par-dessus une grosse pierre. Et lorsqu'elle est vraiment hors d'haleine, elle se couche sous le vieux pin pour réfléchir.

Si les enfants peuvent admirer mes performances demain, et que je les époustoufle, je suis certaine qu'ils me choisiront !

Sur ce, elle se relève vaillam-ment et fonce pour quelques tours d'enclos supplémen-taires !

Le matin suivant, Sophie et Victor conduisent les chevaux au paddock. Le cours a lieu avant midi car les enfants choisissent leur monture pour la compétition. En attendant leur arrivée, les chevaux discutent tout en profitant du soleil.

Seul Moustique ne tient pas en place : il saute par-dessus les fleurs, les buissons, les touffes d'herbe... Zéphyr se cabre au moment où il lui frôle l'épaule en passant.

— Hé ! Regarde où tu mets les sabots !

— Désolé, mais il faut que je garde la forme. Je suis sûr que la mignonne Clara va vouloir participer à la course avec moi !

Zéphyr hennit, incrédule.

— Tu parles sérieusement ?

On sait tous que les enfants éliront les meilleurs d'entre nous : Andalou, Féline et moi. Pour le quatrième, personne ne se risquera à monter un petit poney !

— Mieux vaut un petit malin qui sait courir vite plutôt qu'un grand rigolo persuadé d'avoir zéro défaut ! rétorque Moustique du tac au tac.

Étonnés de ne pas entendre Lulu renchérir : « Le petit chou a raison », les chevaux se retournent vers elle... et la surprennent profondément endormie, couchée dans l'herbe.

Comme Sophie et les élèves arrivent déjà sur le chemin, Féline lui souffle sur les paupières. Lulu sursaute.

— Hein ? Quoi ? Les enfants sont là ? Je suis prête, je suis prête !

Elle se relève... et pousse un cri de douleur :

— Aïe ! Aïe ! Aïe ! Mes crampes !

— Tu as des courbatures ? devine Piquant du Rosier. Je connais de bons exercices pour les soulager. Tu veux que je te les montre ?

— Non merci, ça ira, refuse la jument.

Elle se campe fièrement sur ses jambes et ajoute :

— J'ai l'air comment ?

— Fatiguée, répond Andalou.

— Exténuée, lessivée, hors service ! précise Zéphyr.

Mais Lulu n'a pas le temps de protester : Sophie ouvre la barrière pour entrer dans le paddock avec les enfants. Et contre toute attente, le garçon prénommé Thys s'exclame :

— Je choisis Lulu !

Un nouveau défi

Tout le monde est stupéfait.
Sophie rompt le silence en l'applaudissant très fort.

— C'est un très bon choix !
Lulu est pleine de ressources.
Mais avant de t'attribuer ce

cheval, Thys, tes camarades vont me livrer leur choix. Nous départagerons à la fin au cas où vous feriez le même. Et n'oubliez pas d'expliquer les raisons de votre décision. Benjamin, tu commences.

Le garçon contemple les chevaux, debout devant lui.

— J'aimerais travailler avec Andalou, déclare-t-il. Il est moins fougueux que Zéphyr, et je pense que ce sera un avantage pour gagner.

Le pur-sang s'enflamme :

— Quelle arrogance ! Ce gamin manque gravement

d'expérience !

— Au
contraire,
ce qu'il dit
est très sensé,
note Piquant du
Rosier. J'ai remporté mes
plus belles victoires en
me montrant plus
réfléchie et plus mesu-
rée que mes adversaires.

Clara enchaîne :

— Moi, je préférerais monter
Moustique. Je sais, un poney
sera désavantagé face à de
grands chevaux, mais j'ai l'impression qu'on se comprend,

tous les deux. Alors, tant pis !
Même si je perds, au moins, on
aura partagé un super moment !

— Très judicieux, approuve
Sophie. On t'écoute, Lily...

— Grâce à Benjamin, maintenant, ce sera facile de choisir,
parce que j'hésitais entre Féline
et Andalou. La jolie jument me
plaît. Elle ne doit pas se laisser
battre si facilement !

Féline se redresse avec orgueil.
Cette petite Lily a parfaitement cerné sa personnalité !
Celui qui fait grise mine, en
revanche, c'est Zéphyr.
Il était certain de participer.

Il croyait même qu'on se disputerait pour lui !

— Excellent, les enfants, s'exclame Sophie. Vous avez chacun choisi un cheval différent, je n'aurai donc pas à vous départager. Thys, peux-tu nous expliquer pourquoi tu préfères Lulu ?

Le garçon fixe ses pieds en rougissant.

— Je voudrais monter le mieux possible devant Lucas Saint-Aymé. Mais j'ai peur des grands chevaux... Et comme Clara adore Moustique, je ne veux pas le choisir aussi. Avec Lulu, je serai moins nerveux...

— Et tu gagneras peut-être ! souligne Sophie. En équitation, on n'est jamais à l'abri d'une surprise, car le lien de confiance qui unit le cavalier et son cheval compte autant que leur talent respectif.

Percheron frappe le sol d'un coup de sabot.

— Voilà qui est bien dit ! Tu viens de gagner ton pari, Lulu. Ce soir, tu auras droit à quatre pommes croquantes !

— Oh, c'est chouette... Mais est-ce que ça signifie que je dois commencer le cours tout de suite ? s'inquiète Lulu.

— Et maintenant, en selle, cavaliers ! ordonne Sophie comme pour lui répondre.

Et la vieille Lulu, encore toute courbaturée de son entraînement de la nuit, réprime un gros soupir...

Le soir tombe. Les chevaux sont à l'écurie. Lulu, épuisée, n'a même pas la force de manger ses pommes !

— Renonce, lui conseille Zéphyr. Montre à Sophie que tu n'y arriveras jamais !

À ces mots, la vieille jument retrouve toute son énergie.

— Comment ça, je n'y arriverai jamais ? Bien sûr que j'y arriverai ! Tu veux parier ?

Zéphir lève les yeux au ciel.

— Tu n'es pas raisonnable, grogne-t-il. Quand je pense à ce que je pourrais faire de cette compétition...

— Personnellement, je soutiens Lulu ! s'écrie tout à coup Piquant du Rosier.

— Moi aussi ! intervient Féline. On vous parie deux rations d'avoine qu'elle gagne la course !

Per-cheron, Andalou et Moustique sont embarrassés. Ils se soucient de la santé de leur amie, mais Lulu paraît déterminée.

— Vous allez voir ce que vous allez voir ! lâche-t-elle en tapant du pied dans la paille fraîche.

Lulu tient parole. Elle s'entraîne chaque jour avec courage. Et, en cachette, elle s'entraîne aussi la nuit ! L'ennui, c'est qu'elle

a du mal à se lever le matin...
Un soir, Féline et Piquant du
Rosier l'entendent, par hasard,
quitter l'écurie. Elles la suivent
alors discrètement jusqu'au rond
de détente où elles découvrent
son petit secret.

— Lulu ! s'affole Féline. Tu ne
peux pas t'entraîner jour et nuit !

— Personne ne tient un tel
rythme, confirme Piquant du
Rosier.

La vieille jument cesse de
galoper pour répondre, à bout
de souffle :

— J'y suis bien obligée. J'ai
du retard à rattraper !

Et, la crinière emmêlée par sa course effrénée, elle repart autour de l'enclos. Elle est en sueur, hors d'haleine. Féline et Piquant du Rosier perçoivent de loin sa respiration haletante.

— Du calme, Lulu ! Être performante, c'est aussi savoir quand s'arrêter !

— Ça va, je ne suis pas du tout fatiguée ! prétend-elle.

Pourtant, ses jambes se mettent à faire n'importe quoi. Elles se dérobent sous elle... et voici que Lulu trébuche dans l'herbe !

Une conseillère avisée

La vieille jument retrousse les lèvres. Elle fait mine de bien rire de sa mésaventure :

— Quelle chute ! Par chance, je ne me suis pas blessée. Tant mieux, j'aime tellement courir ! Je peux repartir...

Elle se relève en soufflant. Mais cette fois, Piquant du Rosier s'interpose fermement en lui disant :

— Tu t'y prends de travers, Lulu. Tout ce que tu vas gagner, c'est de ne même pas participer à la compétition. Si tu le souhaites, je peux te donner des tuyaux de professionnelle.

— Oh, oui ! s'enthousiasme Féline. Moi aussi, je vous aiderai, et comme ça, à nous trois, on formera une super équipe : le Trio Jumentissimo !

— Impossible, refuse la championne. Tu vas disputer la course,

70

Féline. Lily croit en toi, et tu devras tout faire pour gagner contre tes camarades.

Dépitée, la jeune jument plaque ses oreilles en arrière. Dommage que la fillette n'ait pas choisi Zéphyr, finalement !

Lulu, quant à elle, jubile à l'idée d'être conseillée par une grande championne.

— Je rêve ou Lulu s'est endormie la tête dans son sac à avoine ?

Moustique n'en revient pas. Lui, il ne s'endormirait jamais en mangeant ! Zéphyr tend le cou par-dessus la palissade de son box. Il aperçoit en effet Lulu, le nez plongé dans son repas, les yeux fermés. Il confirme :

— Non, tu ne rêves pas. C'est elle qui rêve ! Je le lui avais

bien dit, que l'entraînement serait trop dur.

—Tu es injuste, lance Andalou. Moi, je trouve qu'elle a fait d'énormes progrès.

—Je pense même qu'elle est prête pour la compétition, appuie Percheron.

Zéphyr grogne de mauvaise foi :

— Il était temps, c'est demain !

—Youpi !

Moustique pirouette sur lui-même.

— Lulu doit être contente d'être devenue presque aussi forte que nous à la course ! Je parie qu'elle te battra, Andalou. Et toi aussi, Féline.

— Ça se pourrait, admettent-ils en chœur.

Le poney enchaîne :

— Soit Lulu arrivera la deuxième, soit elle sera première *ex æquo* avec moi !

Il pirouette dans l'autre sens, l'air très sûr de lui. Piquant du Rosier sourit, amusée : quoi qu'il dise ou fasse, l'adorable Moustique exagère toujours un peu !

— Mais non, Lulu ne gagnera jamais. Elle dort dans son repas tellement elle n'en peut plus ! fanfaronne Zéphyr.

— Justement ! insiste le poney. Après ça, elle sera bien reposée, tu verras !

— Gentil petit chou !

Andalou, Zéphyr, Percheron, Féline et Moustique sursautent. Ça alors, Lulu a tout entendu !

— Tu ne dormais pas ? bredouille Percheron.

— Que d'un œil, mon cher. Et que d'une oreille !

— Lulu sait enfin ce que vous pensez sincèrement d'elle, explique Piquant du Rosier. J'ai eu une excellente idée en lui conseillant de faire semblant de dormir. Maintenant, elle prendra le départ beaucoup plus en confiance ! Et comme on le sait tous, la confiance est le moteur de la réussite…

Zéphyr se renfrogne.

— C'est de la triche, d'avoir quelqu'un qui donne des conseils. Les autres n'ont personne !

— Je ne les ai pas empêchés d'engager quelqu'un, rétorque la championne.

— Sauf qu'on n'aurait eu le choix qu'entre Zéphyr ou Percheron… et on a préféré éviter la catastrophe ! hennit Moustique, tordu de rire à sa propre blague.

La joyeuse humeur du poney gagne vite l'écurie. Même

Zéphyr arrête de bougonner.
Lulu plaisante alors :

— Vivement que la course
commence ! J'essaierai de laisser gagner le petit chou !

— Je ne suis pas un petit
chou. Et je gagnerai, de toute
façon !

Le parc du village est baigné
de soleil. Le maire a accepté
d'organiser la grande compétition du haras sur l'ancien ter-
rain de camping. Sophie et
Victor ont prévu un parcours
en ligne droite. Les concurrents

partiront de la grille du parc et franchiront la ligne d'arrivée huit cents mètres plus loin, au bout de l'allée bordée de tilleuls fleuris. Pour son avant-dernier jour de congé au haras, Lucas Saint-Aymé assiste en spectateur à l'événement. En attendant le signal de départ, il se promène à l'entrée du parc avec Piquant du Rosier. Il signe des autographes, pose pour des photos...

Enfin, Sophie prend le micro.

— Cette course est donnée en hommage à notre hôte de marque, le célèbre cavalier Lucas Saint-Aymé, qui nous fera l'honneur de remettre un trophée au gagnant et une médaille à sa monture.

Le public applaudit.

— À présent, que les concurrents se placent sur la ligne de
départ !

Benjamin, Lily, Clara et Thys
approchent, chacun juché sur sa
monture respective : Andalou,
Féline, Moustique et Lulu.

Sophie lève la main. Victor frappe le gong. Et c'est parti ! Aussitôt, Lulu s'élance à toute allure, devançant ses trois adversaires...

Une précieuse victoire

La vieille jument fonce à bride abattue ! Cramponné aux rênes, Thys supplie :

— Non, pas si vite !

Mais elle accélère encore, au contraire. Elle s'est bien entraînée durant la semaine. C'est ce qui lui a permis ce démarrage en trombe ! Hélas, Lulu n'est pas habituée aux courses hippiques. Elle ne réalise pas qu'en donnant toute sa puissance au départ, elle n'aura plus assez d'énergie pour franchir l'arrivée... Et bientôt, elle est obligée de ralentir l'allure. Elle a le souffle coupé et un gros point de côté ! Andalou prend alors la tête du peloton.

— Hourra ! On va gagner ! triomphe déjà Benjamin.

— N'importe quoi ! réplique Lily, dans son dos, avant de lancer à Féline :

— Au triple galop ! On ne va pas laisser les garçons décrocher la récompense !

Et la jolie jument hennit en dépassant Andalou.

— Navrée, mais Lily compte sur moi !

Pendant ce temps, Thys est rassuré : Lulu trotte enfin plus lentement ! Elle tire la langue, à bout de force. Inquiet, Moustique renonce à rattraper Andalou, qu'il talonnait de près, pour revenir vers elle. Clara est surprise. Elle tente de remettre le poney dans le droit chemin.

— Qu'est-ce que tu fabriques ? Ce n'est pas par là, la ligne d'arrivée !

Mais Moustique s'entête. Il rejoint Lulu, qui progresse maintenant au pas.

— Ça va ?

Elle soupire.

— Oui. Sauf que je n'en peux plus... et que je vais perdre.

— Moi aussi, je vais perdre, note Moustique. Mais ce n'est pas grave puisqu'on s'amuse ensemble et qu'on pourra recommencer quand on voudra !

Là-dessus, le public se met à applaudir en acclamant les gagnantes : Lily et Féline viennent de franchir la ligne d'arrivée.

Plus tard, dans l'après-midi, après la remise des prix, les chevaux ne parlent que de la course de tout à l'heure...

— Tu as géré le parcours comme une pro, Féline ! la félicite Piquant du Rosier.

— Merci, mais j'ai surtout eu de la chance...

Andalou insiste :

— Non, tu as mérité de gagner. J'ai été moins bon que toi !

— Ça, je le sais ! le taquine-t-elle. Je pensais à Moustique. S'il n'avait pas eu la gentillesse de s'occuper de Lulu, il aurait pu me battre !

—Le petit chou est un vrai petit chou, murmure la vieille jument.

Le poney s'ébroue avec agacement.

— Je ne suis pas un petit chou. Mais plutôt… le champion des chouchous !

Il secoue sa crinière afin de révéler la médaille qui brille à son cou. Féline la lui a offerte

en récompense de son beau geste envers Lulu.

Zéphyr constate :

— Bravo, Moustique ! Tu es plus malin que nous... et finalement, tu mérites bien ton titre de champion.

— Il ne faut pas oublier Piquant du Rosier, interrompt alors Percheron. Elle a soutenu Lulu, et nous devons la remercier avant qu'elle ne reparte chez elle. Je propose que nous lui remettions les rations d'avoine du pari perdu de Lulu !

La championne se fait alors un plaisir d'accepter... et de par-

tager le festin avec ses nouveaux amis ! Puis, constatant que Lulu semble triste, elle la questionne :

— Pourquoi tenais-tu tant à participer à la course, Lulu ? Tu voulais prouver quelque chose ?

— Oh, c'est idiot...

— Si, explique-nous ! insiste Moustique.

— Eh bien, je me sentais inutile, ces derniers temps, à l'écurie... Et quand Piquant du Rosier est arrivée, si magnifique et si athlétique, je me suis sentie encore plus nulle.

Percheron proteste :

— Nulle ? Mais regarde ce que tu as accompli en une semaine ! Tu as relevé un immense défi en t'entraînant sans relâche, et ta persévérance a encouragé Féline à tout donner pour gagner. Tu as redonné confiance au jeune Thys, qui a enfin moins peur de monter à cheval. Et tu as permis à ce coquin de Moustique de nous prouver son bon cœur !

— J'ai fait tout ça ? s'étonne Lulu. Mais alors, moi aussi, j'ai un peu gagné !

Elle retrousse les lèvres comme si elle riait et ajoute :

— En fait, j'ai remporté la plus précieuse des victoires : celle de votre amitié à tous !

Et ni une ni deux, Moustique lui prête sa belle médaille dorée !

Fin

As-tu lu toutes les histoires de Mes amis les chevaux ?

1. Un nouveau pensionnaire

2. La grande compétition

3. Un choix difficile

4. Un rival inattendu

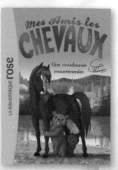

5. Une randonnée mouvementée

6. Une rencontre inoubliable

7. La surprise de l'hiver

Retrouve Sophie et ses amis les chevaux dans leur prochaine aventure !

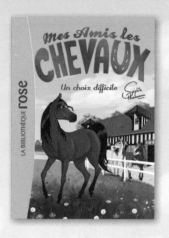

Féline en a assez des leçons d'équitation. Elle a l'impression de connaître par cœur chaque brin d'herbe du haras et s'ennuie terriblement jusqu'au jour où de riches propriétaires proposent de l'acheter. La jolie jument, qui aime son confort et les belles apparences, n'est pas insensible à cette proposition. Décidera-t-elle de partir ?

Table

PAPIER À BASE DE FIBRES CERTIFIÉES

hachette s'engage pour l'environnement en réduisant l'empreinte carbone de ses livres. Celle de cet exemplaire est de : 400 g éq. CO_2
Rendez-vous sur www.hachette-durable.fr

Photogravure Nord Compo - Villeneuve d'Ascq

Imprimé en Roumanie par G. Canale & C. S.A.
Dépôt légal : août 2013
Achevé d'imprimer : mai 2016
20.3968.3/08 – ISBN 978-2-01-203968-1
Loi n° 49956 du 16 juillet 1949
sur les publications destinées à la jeunesse